Chico Buarque

Chapeuzinho Amarelo

41ª edição
15ª reimpressão

ILUSTRAÇÕES DE
Ziraldo

 Altamente Recomendável para Crianças, FNLIJ, 1979

 Prêmio Jabuti de Ilustração, CBL, 1998

Copyright © Francisco Buarque de Holanda
Copyright das ilustrações © Ziraldo Alves Pinto
Copyright desta edição © 2019 Editora Yellowfante

Todos os direitos reservados pela Editora Yellowfante. Nenhuma parte desta publicação poderá ser reproduzida, seja por meios mecânicos, eletrônicos, seja via cópia xerográfica, sem a autorização prévia da Editora.

EDITORA RESPONSÁVEL
Maria Amélia Mello

EDITORA ASSISTENTE
Cecília Martins

ASSISTENTE EDITORIAL
Rafaela Lamas

CAPA, ILUSTRAÇÕES E DIAGRAMAÇÃO
Ziraldo

REVISÃO
Carla Neves
Mariana Faria

Dados Internacionais de Catalogação na Publicação (CIP)
(Câmara Brasileira do Livro, SP, Brasil)

Buarque, Chico
 Chapeuzinho Amarelo / Chico Buarque ; ilustrações de Ziraldo. – 41. ed. 15. reimp. – Belo Horizonte : Yellowfante, 2025.

 Altamente Recomendável para Crianças, FNLIJ, 1979.
 Prêmio Jabuti de Ilustração, CBL, 1998.

 ISBN: 978-85-513-0728-1

 1. Literatura infantojuvenil I. Ziraldo. II. Título.

19-31176   CDD-028.5

Índices para catálogo sistemático:
1. Literatura infantil 028.5
2. Literatura infantojuvenil 028.5

Maria Alice Ferreira - Bibliotecária - CRB-8/7964

A **YELLOWFANTE** É UMA EDITORA DO **GRUPO AUTÊNTICA**

Belo Horizonte
Rua Carlos Turner, 420
Silveira . 31140-520
Belo Horizonte . MG
Tel.: (55 31) 3465 4500

São Paulo
Av. Paulista, 2.073 . Conjunto Nacional
Horsa I . Salas 404-406 . Bela Vista
01311-940 . São Paulo . SP
Tel.: (55 11) 3034 4468

www.editorayellowfante.com.br
SAC: atendimentoleitor@grupoautentica.com.br

A historinha foi feita para Luísa.
O livro é dela, de Silvia,
da Helena, da Janaína, da Alaíde,
da Luiza, do Antônio e dos outros.

Era a Chapeuzinho Amarelo.
Amarelada de medo.
Tinha medo de tudo,
aquela Chapeuzinho.
Já não ria.
Em festa, não aparecia.
Não subia escada
nem descia.
Não estava resfriada
mas tossia.
Ouvia conto de fada
e estremecia.
Não brincava mais de nada,
nem de amarelinha.

Tinha medo de trovão.
Minhoca, pra ela, era cobra.
E nunca apanhava sol
porque tinha medo da sombra.
Não ia pra fora pra não se sujar.
Não tomava sopa pra não ensopar.
Não tomava banho pra não descolar.
Não falava nada pra não engasgar.
Não ficava em pé com medo de cair.
Então vivia parada,
deitada, mas sem dormir,
com medo de pesadelo.

Era a Chapeuzinho Amarelo.

E de todos os medos que tinha,
o medo mais que medonho
era o medo do tal do LOBO.
Um LOBO que nunca se via,
que morava lá pra longe,
do outro lado da montanha,
num buraco da Alemanha,
cheio de teia de aranha,
numa terra tão estranha,
que vai ver que o tal do LOBO
nem existia.

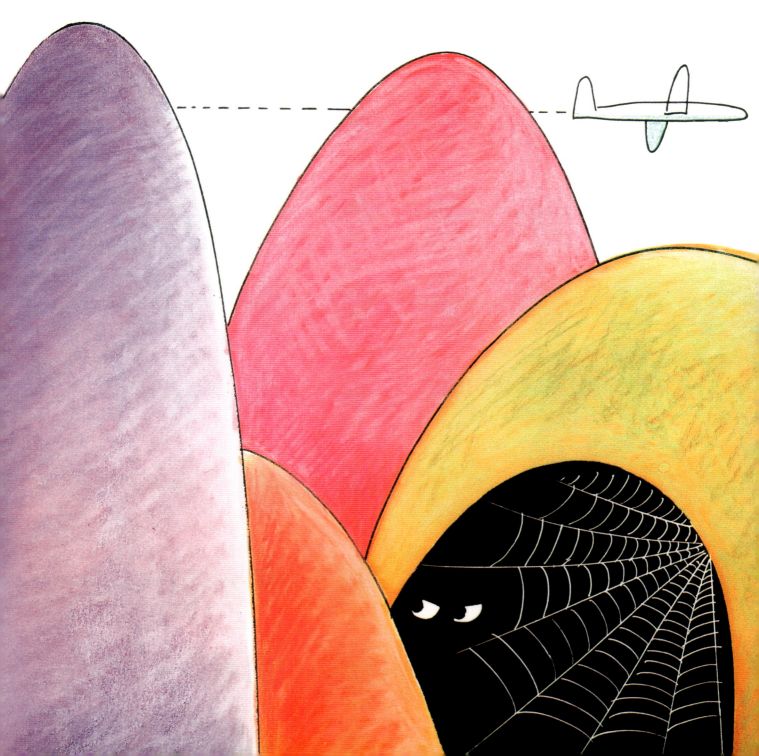

Mesmo assim a Chapeuzinho tinha cada vez mais medo do medo do medo do medo de um dia encontrar um LOBO. Um LOBO que não existia.

E Chapeuzinho Amarelo,
de tanto pensar no LOBO,
de tanto sonhar com o LOBO,
de tanto esperar o LOBO,
um dia topou com ele
que era assim:
carão de LOBO,
olhão de LOBO,
jeitão de LOBO
e principalmente um bocão
tão grande que era capaz
de comer duas avós,
um caçador,
rei, princesa,
sete panelas de arroz
e um chapéu
de sobremesa.

Mas o engraçado é que,
assim que encontrou o LOBO,
a Chapeuzinho Amarelo
foi perdendo aquele medo,
o medo do medo do medo
de um dia encontrar um LOBO.
Foi passando aquele medo
do medo que tinha do LOBO.
Foi ficando só com um pouco
de medo daquele lobo.
Depois acabou o medo
e ela ficou só com o lobo.

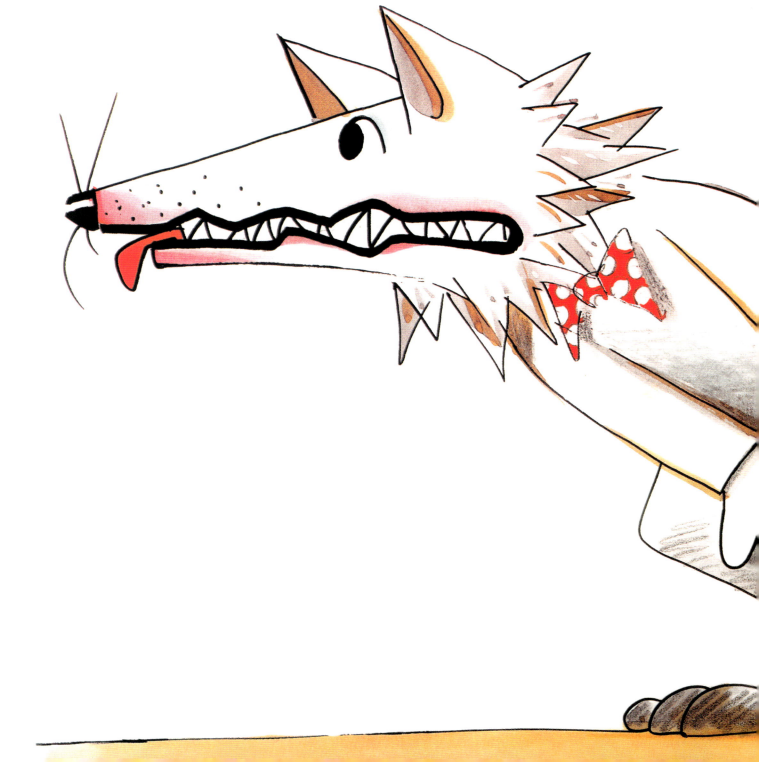

O lobo ficou chateado
de ver aquela menina
olhando pra cara dele,
só que sem o medo dele.
Ficou mesmo envergonhado,
triste, murcho e branco-azedo,
porque um lobo, tirado o medo,
é um arremedo de lobo.
É feito um lobo sem pelo.
Lobo pelado.

O lobo ficou chateado.

Ele gritou: sou um LOBO!
Mas a Chapeuzinho, nada.
E ele gritou: sou um LOBO!
Chapeuzinho deu risada.
E ele berrou: EU SOU UM LOBO!!!
Chapeuzinho, já meio enjoada,
com vontade de brincar
de outra coisa.
Ele então gritou bem forte
aquele seu nome de LOBO
umas vinte e cinco vezes,
que era pro medo ir voltando
e a menininha saber
com quem não estava falando:

O LO BO LO BO LO BO LO BO LO

Aí,

Chapeuzinho encheu e disse:
"Para assim! Agora! Já!
Do jeito que você tá!".
E o lobo parado assim
do jeito que o lobo estava
já não era mais um LO-BO.
Era um BO-LO.
Um bolo de lobo fofo,
tremendo que nem pudim,
com medo da Chapeuzim.
Com medo de ser comido
com vela e tudo, inteirim.

LOBOLOBO

Chapeuzinho não comeu aquele bolo de lobo, porque sempre preferiu de chocolate.
Aliás, ela agora come de tudo, menos sola de sapato.
Não tem mais medo de chuva nem foge de carrapato.

Cai, levanta, se machuca, vai à praia, entra no mato, trepa em árvore, rouba fruta, depois joga amarelinha com o primo da vizinha, com a filha do jornaleiro, com a sobrinha da madrinha e o neto do sapateiro.

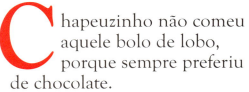

Mesmo quando
está sozinha,
inventa
uma brincadeira.
E transforma
em companheiro
cada medo que ela tinha:
o raio virou orrái,
barata é tabará,
a bruxa virou xabru
e o diabo é bodiá.

FIM

Ah, outros companheiros da Chapeuzinho Amarelo: o Gãodra,

a Jacoru, o Barão-Tu, o Pão Bichôpa

e todos os trosmons.

CHICO BUARQUE nasceu em 1944. Compositor, cantor e escritor, sua vasta obra começou a obter reconhecimento nacional e internacional a partir da música "A banda", uma das vencedoras do Festival da Música Popular Brasileira de 1966. Para o universo infantil, escreveu *Chapeuzinho Amarelo* e traduziu e adaptou para o português o musical de sucesso *Os Saltimbancos*, também publicado pela Editora Yellowfante. Recebeu três vezes o Prêmio Jabuti de Melhor Livro do Ano: em 1992, com *Estorvo*; em 2004, com *Budapeste*; e em 2010, com *Leite derramado*. Mora no Rio de Janeiro, sua cidade natal, e continua se dedicando à música e à literatura.

ZIRALDO nasceu em Caratinga, Minas Gerais, em 1932. Pintor, cartazista, jornalista, teatrólogo, chargista, caricaturista e escritor, sua fama começou na década de 1960, com *A turma do Pererê*, sua primeira revista em quadrinhos. É autor de *O Menino Maluquinho*, um dos maiores fenômenos editoriais do país. Além de suas obras autorais, contribuiu com ilustrações para clássicos da literatura infantil brasileira, como *Os Saltimbancos*, publicado pela Editora Yellowfante, e *Chapeuzinho Amarelo*, de Chico Buarque.

Este livro foi
composto com
tipografia Goudy Old Style
e impresso em
papel Couchê 150 g/m²
na Rona.